Gallimard Jeunesse/Giboulées
Sous la direction de Colline Faure-Poirée
© Gallimard Jeunesse, 2011
ISBN : 978-2-07-063546-7
Dépôt légal : mars 2011
N° d'édition : 179426
Loi n° 49-956 du 16 juillet 1949 sur les publications destinées à la jeunesse.
Imprimé en France par Pollina - L56226C.

Etienne Delessert

YOK~YOK

L'escargot

GALLIMARD JEUNESSE GIBOULÉES

Yok-Yok, Noire la Souris et Josée la Chenille rencontrent un gros escargot. « Comment t'appelles-tu ? » demande Josée.

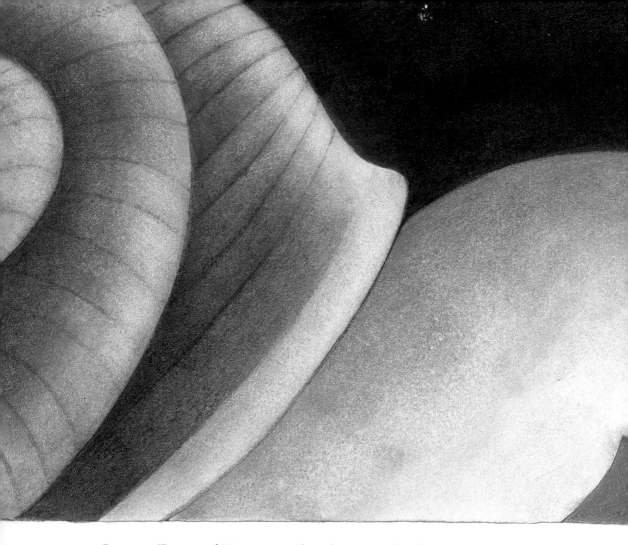

« Je suis Bruno l'Escargot, le plus rapide de tous les escargots
du jardin, répond-il, et toi ? »

« Moi, c'est Josée la Chenille qui ne veut jamais
devenir un papillon. »

Yok - Yok aperçoit une bonne dizaine d'escargots flânant
entre fleurs et plantes du jardin.

Il propose alors aux escargots une grande épreuve
de vitesse sur l'allée.

Josée la Chenille aimerait bien se glisser dans la compétition.

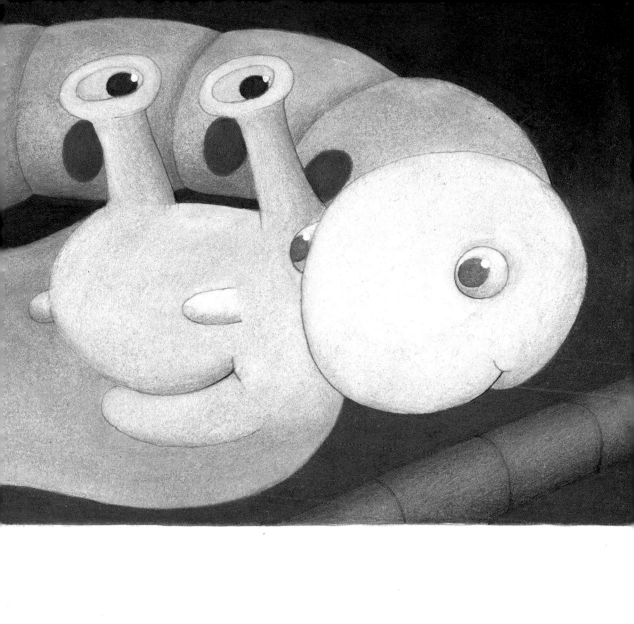

Bruno l'Escargot avait raison, il prend rapidement la tête.
Mais soudain Josée la Chenille le dépasse !

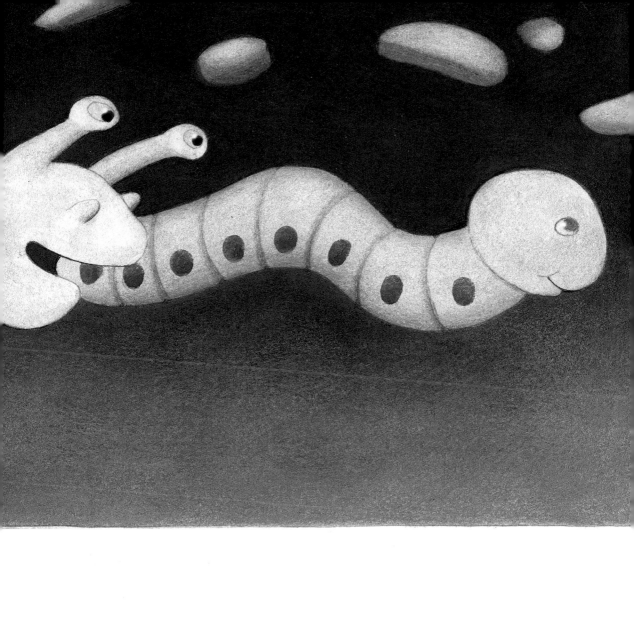

Perchées sur une feuille, quelques fourmis regardent
passer la course.

Puis, très excitées, elles s'élancent dans l'allée et prennent
tout le monde de vitesse !

« Pauvre Bruno, il est hors d'haleine ! lance une fourmi. Il n'est vraiment plus en forme ! » Un scarabée observe les concurrents.

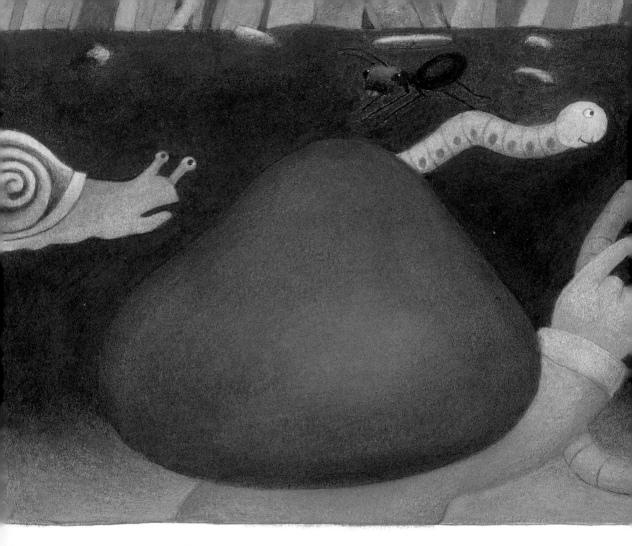

Le scarabée a pris la tête de la course.

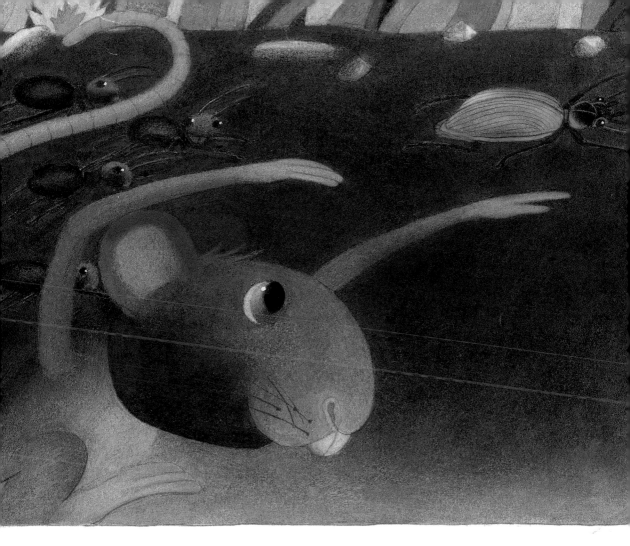

« C'est moi qui vais le plus vite, rien que des limaçons, là-derrière ! »
se moque-t-il.

Et hop ! une sauterelle enjambe tous les concurrents !

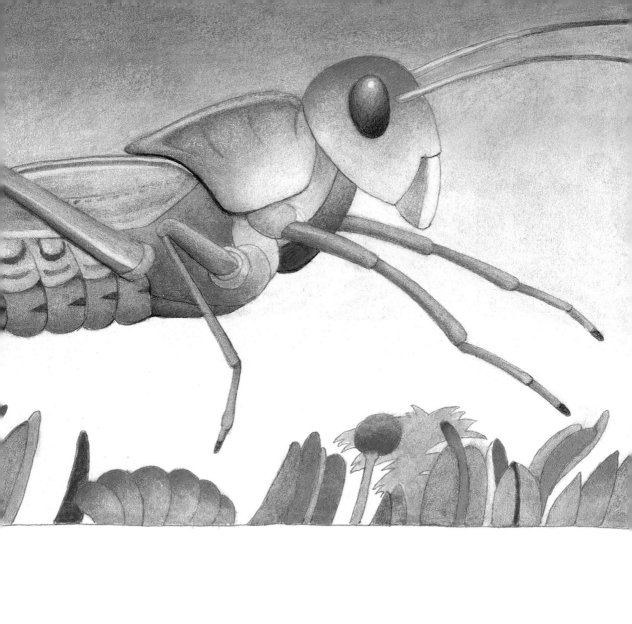

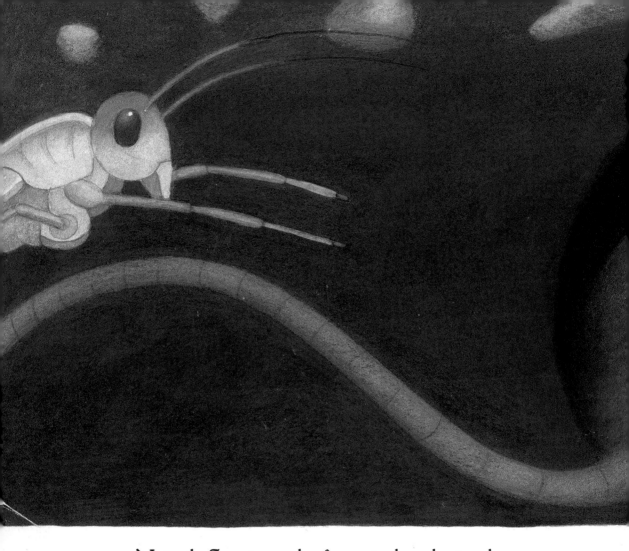

Noire la Souris a « des fourmis dans les jambes »
et ne peut résister. Elle galope en tête.

De très haut, un oiseau surveille le jardin.

En trois coups d'aile, il laisse tout le monde à vingt mètres,
et file vers la ligne d'arrivée.

Bruno l'Escargot le plus rapide du jardin,
est resté bien en arrière.

« C'est pas juste ! » grommelle-t-il, et ses cornes sont tout embuées.
Il en a gros sur le cœur.

Alors Yok-Yok le prend dans ses bras et, d'un élan magique,
il dépasse l'oiseau et assure la victoire du bon Bruno.

Il y a toujours plus rapide que soi. C'est ça la vie !